Les heures silencieuses

Gaëlle
JOSSE

Les heures
silencieuses

ROMAN

Pour Pierrick et Marguerite, Armelle,
pour Jean-Paul, Léonore et Hortense,
et an die Musik, *bien sûr !*

Elle, la nuit
sa voix atterrée libre

Évelyne MORIN
(« Rouge à l'âme »)

Qui revient sur ses pas soupèse ce qui change
J'attendais sur le seuil que l'ombre enfin décide
Quelle proie pour les serres et quels yeux pour le vide
[...]

Éric MACLOS
(« Où tu risques de te perdre... »)

Je m'appelle Magdalena Van Beyeren. C'est moi, de dos, sur le tableau. Je suis l'épouse de Pieter Van Beyeren, l'administrateur de la Compagnie néerlandaise des Indes orientales à Delft, et la fille de Cornelis Van Leeuwenbroek. Pieter tient sa charge de mon père.

J'ai choisi d'être peinte, ici, dans notre chambre où entre la lumière du matin. Nous avançons vers l'hiver. Les eaux de l'Oude Delft sont bleues de gel et les tilleuls, qui projettent au printemps leur ombre tachetée sur le sol, ne sont aujourd'hui que bois sombre, et nu.

Pour oiseaux, nous n'avons que corbeaux et corneilles, ils sont les seuls à se plaire par ce temps. Leur cri me glace et il me tarde de revoir sur les bords du canal cette couleur tendre de vert mêlé de jaune, celle des premières feuilles du printemps.

La traversée de l'hiver demande patience. Ce n'est qu'une saison à passer, mais je remarque, et chaque année davantage, combien l'angoisse m'étreint, sitôt disparue l'ardeur des rouges et des ors de nos mois d'automne. Cet aveu m'apaise, car nous abritons en nous quantité de souvenirs et de réflexions ; il ne

11

se trouve personne pour les entendre, et le cœur s'étouffe à les contenir.

Je n'ai pas de goût pour les confidences que s'échangent les femmes entre elles. Trop souvent, on voit le secret de l'une, sitôt franchi ses lèvres, porté à la connaissance des autres. Il devient leur jouet et elles en disposent à leur guise. Ce ne sont que broderies et arabesques, chacune y ajoute ses motifs et ses couleurs, et la réalité de l'affaire disparaît sous les ornements.

Il ne reste plus rien alors de ces instants où l'on a cru se livrer à un cœur compatissant, à une âme bienveillante, et confié sans défiance, dans un tendre rêve de gémellité, les tourments les plus sombres ou les pensées les moins raisonnables. De cela, je ne veux pas. Par chance, la solitude m'est chère, et mes nuits sont longues, désormais. C'est donc à ces papiers que mon histoire s'adressera. On les trouvera à ma mort, ou ils demeureront ignorés de tous, cela m'importe peu.

À mettre de l'ordre dans mon cœur, et un peu de paix dans mon âme, à me souvenir de joies passées et à accueillir mes peines, ils suffisent. Cela est bien.

Depuis l'enfance, je redoute la nuit. La lumière qui décroît dans le ciel, l'ombre qui tombe à terre en dévorant les couleurs et en assourdissant les formes, m'emplissent d'inquiétude. Et en dépit de l'âge qui devrait me rendre raisonnable, je ne parviens pas à faire taire cette crainte.

C'est la lumière du soleil montant, celle des promesses du jour, que j'ai voulue pour ce tableau. La journée n'est pas encore écrite, et ne demande qu'à devenir. Ce sont mes heures préférées, j'aime leur reflet dans le miroir de Venise où l'écho de nos silhouettes se perd dans les dorures.

Ce tableau me rappelle des heures heureuses et des années où notre maison était moins riche, et

plus gaie. Pieter aimait à m'entendre jouer de l'épinette en demeurant dans la tiédeur des draps avant
de s'habiller. *La journée sera belle, mon amie, car
vous avez joué pour moi.*

M. De Witte, le peintre, a su faire deviner sa présence derrière les courtines, avec un simple vêtement et une épée posés sur un siège devant le lit.
Je lui sais gré de son idée.

J'ai souhaité figurer de dos sur ce tableau. Une
étrange requête, a-t-il semblé à mon mari. Voyant
que cela me tenait à cœur, il y a finalement
consenti, et n'en a pas cherché les raisons. Sa
demeure et ses meubles devaient être convenablement montrés, c'était là son seul vœu, le reste
n'étant que bizarrerie sans conséquence.

L'épinette installée près de la fenêtre vient de chez
mes parents. Elle est plus modeste que le grand clavecin de notre salon de musique, avec son double
clavier, sa sonorité généreuse, son couvercle agré-
menté de paysages et ses bois précieux, mais je suis
accommodée aux défauts de mon épinette, et mes
doigts y trouvent seuls leur place. Elle est ma
mémoire et ma voix, c'est auprès d'elle qu'il
m'importait d'être représentée.

M. De Witte s'est honnêtement acquitté de cette
commande pour laquelle il a reçu cent florins, mais
il a omis de peindre la frise d'hippocampes gravée
le long de la caisse en bois. Ils sont minuscules et
échappent facilement à l'œil, je le reconnais. Par
endroits, on les distingue à peine, car le temps les
a presque effacés.

Ce sont, dit-on, des animaux étranges, mi-chevaux
mi-poissons, qui courent le fond des mers. Cela
m'intrigue. Comment être ensemble et cavale et
limande ? C'est chose possible, semble-t-il, l'animal
est enroulé sur son propre corps et se déplace par

bonds verticaux. J'aime leur présence légère sur cet instrument qui donne vie à mes songes.

Le peintre n'a pas pris garde, non plus, à l'inscription qui figure sur le couvercle. Il s'entend surtout, il est vrai, à dessiner des intérieurs d'église ; le détail d'une boîte à musique lui aura semblé peu de chose.

Musica laetitiae comes medicina dolorum. Dès la première fois où, enfant, j'ai posé mes mains sur les touches, cette phrase s'est offerte à mes yeux, et avant de savoir assez de latin pour la comprendre, j'avais demandé à mon père de m'en indiquer le sens. Depuis, il n'est pas de jour où cette réflexion ne m'accompagne de son évidence. Dans la joie comme dans la peine, la musique demeure notre compagne.

Elle embellit ce qui peut l'être, et console, lorsque cela est possible. Mais des trop grandes peines, elle ne distrait point. La vraie tristesse s'accompagne de silence, mais c'est autre chose.

Qu'importe, ce sont là des détails. Je reconnais à M. De Witte un vrai talent et cette peinture me plaît. Je n'aurais pas voulu être montrée comme Rébecca Beekman, l'épouse d'Abraham Beekman, le banquier de la Donkestraat, qui vient d'être peinte par M. Vermeer. On la voit affairée à peser de l'or et des perles, grosse de son huitième enfant. C'est son ventre que l'on remarque tout d'abord, on oublie presque son visage.

Un détail étrange m'a frappée. Son regard est tourné vers la balance, mais si l'on regarde bien la scène, on s'aperçoit qu'il n'y a rien sur les plateaux, et on ne sait ce que Rébecca regarde ainsi.

C'est un bel ouvrage, je le reconnais, le peintre a donné une grande douceur à son visage exténué par toutes ses grossesses. Il s'entend comme nul autre à peindre les étoffes, mais ce tableau me trouble, avec cette balance vide, cette main en suspens. Quelle est cette invisible marchandise ? Air, souffle, vent ? Il y a là un mystère, j'aimerais savoir lequel. Je me suis gardée de leur confier mon sentiment, car Rébecca et son époux sont heureux de ce tableau qui leur a coûté fort cher. Ils invitent toutes leurs connaissances à le contempler et à leur en faire compliment. Je me serais sentie bien coupable de troubler ce concert de louanges.

Le 13 de ce mois de novembre

Il y a quelques années, Pieter a voulu faire réaliser son portrait, comme l'ont fait la plupart de ses amis commerçants ou échevins. Johan De Voogd est un peintre apprécié des guildes et des corporations. Sur le conseil de son ami Abraham Muller, le tisserand, Pieter lui a confié son portrait avec de multiples instructions. Le peintre n'a eu qu'à réaliser l'image que Pieter avait en tête.

Il avait demandé une carte marine et des instruments de navigation en plus des porcelaines fines posées sur son bureau et des sacs de muscade et de cannelle à ses pieds. Je crois que la mer lui manque. Il l'a voulue présente dans cette peinture, afin de rappeler à tous qu'il est non seulement commerçant et armateur, mais aussi marin, et capitaine, fût-il à terre depuis longtemps. Je comprends qu'il ait voulu s'entourer des signes de sa réussite – de la nôtre, devrais-je dire, car elle est le fruit de notre travail et d'une vigilance sans relâche.

Cette prospérité, qui est aussi celle de notre république, est notre fierté. Nous sommes les commerçants les plus puissants en ce monde. Qui ne se sentirait plein d'orgueil, sachant la part qu'il y prend ? C'est sur mer que notre domination s'est établie, car nous y sommes habiles. Nos bateaux sont petits, maniables, ils se contentent d'un équipage réduit ; ce n'est pas le cas des Portugais, des Espagnols ou des Anglais.

Tout contribue à nous expédier sur les océans. Nos sols ne sont que bourbiers, insuffisants pour nourrir le monde, qui s'accroît à vue d'œil, si l'on en juge par la quantité d'enfants que les paysannes traînent à leurs jupes. Nous ne manquons certes ni de poisson, ni de lait, ni de beurre, ni de légumes, mais cela ne rassasie pas une nation.

Il faut donc partir chercher ailleurs ce qu'on ne trouve pas ici. Ainsi des villes et des comptoirs naissent-ils partout où nous allons, et nous sommes aussi soldats, et bâtisseurs.

Nous avons fait la paix avec les Espagnols, qui furent des ennemis redoutables ; ils sont des militaires et des marins orgueilleux, endurcis. Ce sont aujourd'hui les Anglais nos rivaux sur mer, et ces corsaires français qui nous font grand tort.

Ces jours-ci, nous recevons une délégation venue de Bordeaux. Elle a accompli ce long voyage pour nous voir. Les Français sont inquiets ; les mois passés ont été cruels pour eux. Nos corsaires se sont montrés rapides et sans pitié, les prises ont été nombreuses en dépit de pertes lourdes, mais les Français ne font guère de quartier lorsque la situation tourne en leur faveur. Je souhaite que nous parvenions à nous entendre, nous avons tous à y gagner, et bien des vies à épargner.

À terre, la vie se montre clémente. Nos provinces offrent l'asile à ceux qui ne peuvent vivre en paix dans leur pays. Juifs, catholiques ou réformés demeurent ici en bonne intelligence, et chacun apporte sa pierre à l'édifice commun.

L'ordre, la mesure et le travail sont des remparts contre les embarras de l'existence. C'est ce qu'on nous apprend dès l'enfance. Vanité de croire cela. Chaque jour qui passe me rappelle, si besoin était, que la conduite d'une vie n'est en rien semblable à celle d'un stock d'épices ou de porcelaine.

Ce que nous tentons de bâtir autour de nous ressemble aux digues que les hommes construisent pour empêcher la mer de nous submerger. Ce sont des édifices fragiles dont se jouent les éléments. Elles restent toujours à consolider ou à refaire. Le cœur des hommes est d'une moindre résistance, je le crains.

Le 16 de ce mois de novembre

La nuit et le vent tapent au carreau. Le sommeil ne viendra pas cette nuit, je le sais. Il n'est que temps de livrer à ces pages les raisons de l'angoisse qui m'étreint au soleil descendu. Au moment où chien et loup se confondent, une terreur me saisit, elle raccourcit mon souffle et brûle ma poitrine. Je n'ai alors de cesse de faire allumer bougies, chandelles, flambeaux et lanternes dans toutes les pièces où nous demeurons. Pieter me reproche cette dépense, qu'il croit dictée par la vanité d'éclairer nos richesses.

Comment lui avouer que depuis trop d'années, un serment scelle mes lèvres, et m'étouffe à en crier ? En dépit du temps qui a passé, seule la lumière me permet de trouver un répit et d'éloigner la vision d'épouvante qui, chaque soir, à cette heure lugubre, vient me visiter.

Ce soir plus qu'un autre, je ne saurais dire pourquoi, ce souvenir m'oppresse, et je dois me délivrer de cet abcès qui m'empoisonne. Ces pages en seront le triste réceptacle. Quant au serment de silence et d'oubli que j'ai dû faire, je choisis de m'en défaire.

Avec le temps, je comprends que c'était davantage la promesse contrainte d'une enfant terrorisée que le libre arbitre d'une âme éclairée. J'avais juré sur la croix, et protégé un crime. De quel côté se trouve alors le péché ? Quant au serment d'oubli, en dépit du souhait que j'ai eu de le respecter, cela n'a pas été possible, ce n'est affaire ni de désir ni de volonté.

À l'heure où mes jours se ternissent comme un miroir perd son tain, le besoin de m'alléger de ce qui m'encombre devient plus fort que tout. Je garde l'espoir, naïf peut-être, qu'un tel aveu sera comme l'amputation d'un membre inguérissable qui, pour douloureuse qu'elle soit, permet de sauver le reste du corps.

L'affaire remonte à l'année de mes douze ans. J'accompagnais Saskia, la jeune aide d'une quinzaine d'années de notre servante Antje. Nous étions parties visiter une de ses parentes logeant dans un quartier éloigné du nôtre, un de ces bas-quartiers aux portes de la ville, où je n'avais pas le droit de me rendre. La masure de la tante de Saskia était l'une des plus éloignées, posée au bord d'un terrain boueux, inhabité, boisé par endroits de frênes chétifs et de buissons de mûriers. Aux beaux jours, les enfants du quartier venaient remplir des paniers entiers, que leurs mères transformaient en tartes et confitures.

Je n'aurais pas dû me trouver là, dans ces lieux de pauvreté, dont ma mère craignait les miasmes plus encore que le spectacle d'une humanité affligée. Saskia, qui officiait chez nous comme lingère, m'avait proposé en toute innocence de l'accompagner. Trop heureuse de braver l'interdit maternel et de découvrir de nouveaux aspects du monde, j'étais partie avec elle en grande joie.

Les premiers soirs d'avril sont traîtres ; la fraîcheur, puis la nuit, tombent d'un seul coup, alors que la clarté des après-midi laisse présager encore de belles heures. Nous avions tardé et risquions d'arriver à la nuit. Saskia craignait la colère de mes parents. Je serais grondée, punie, et elle certainement battue, et chassée. La seule chance d'arriver assez tôt était de couper au travers de ce vaste champ, en évitant les ruelles tortueuses et nauséabondes. Nous nous élançâmes, enhardies par notre mutuelle compagnie, mais guère rassurées. Autant que possible, nous évitions de nous trouver à découvert, et longions les haies et les bosquets.

Devant nous surgirent trois cavaliers au galop, l'un d'entre eux tenait un homme devant lui en travers de sa selle, comme un sac de farine. La scène qui suivit ne dura que quelques instants, mais elle demeure à jamais marquée au fer dans ma mémoire.

Les trois hommes mirent pied à terre à quelques mètres de nous, blotties derrière un gros buisson. Ils jetèrent brutalement au sol celui qu'ils tenaient prisonnier et, sans un mot, l'un d'entre eux lui passa son épée au travers du corps. Le sang jaillit sur la chemise blanche, le deuxième cavalier acheva le blessé d'un coup de poignard au ventre, le troisième tenait les chevaux en faisant le guet. Nous ne respirions plus, espérant seulement ne pas être découvertes.

Je portais un caraco de lin blanc, et priais le Ciel de couvrir au plus vite la terre de son ombre pour soustraire ma silhouette aux regards. Nous ne fûmes pas découvertes, les trois cavaliers remontèrent en selle et repartirent au galop sans un regard derrière eux.

Il nous fallait passer devant le moribond afin de poursuivre notre chemin. Il nous aperçut, tendit le bras vers nous en articulant quelque chose que nous ne comprîmes pas ; nous le regardâmes, effarées, le sang avait envahi tout le devant de sa chemise. Il ne portait qu'une culotte de drap foncé, ses pieds étaient nus. Probablement l'avait-on dépouillé de sa veste et de ses bottes. Il était blond, avec des cheveux longs et des yeux pâles, et tentait de nous faire signe. Nous n'osâmes pas faire un pas vers lui, et prîmes la fuite.

Nous arrivâmes hors d'haleine, sans nous faire voir, et j'eus le temps de changer ma chemise souillée de terre, griffée par les ronces. Saskia me fit jurer sur la croix de ne rien dire et de tout oublier. Je prêtai le serment demandé, et nous nous évitâmes pendant plusieurs jours.

Le drame resurgit. On découvrit le corps du malheureux garçon et on chercha un coupable. On en trouva rapidement un, ou plutôt une. Une femme qui vivait dans une cabane en lisière de ce funeste champ fut arrêtée, accusée, torturée et condamnée au bûcher. On la disait sorcière, parfois guérisseuse et tireuse de cartes, nécromancienne, succube, en commerce avec Belzébuth et ses anges déchus, qu'elle était supposée pourvoir en sang frais, nécessaire à la confection de ses mixtures diaboliques.

Apprenant son arrestation, je voulus parler à Saskia pour révéler ce que nous savions, quitte à avouer notre escapade. Elle me rappela mon serment, en me serrant le poignet à m'en faire crier. Un serment est un serment, j'obtempérai, et n'en dormis pas de plusieurs nuits.

De ce jour, la tombée du jour m'est un moment éprouvant. Je suis coupable d'un serment qui m'a liée pour le pire, faisant de moi la complice d'un mensonge, et de l'exécution d'une malheureuse, de la façon la plus horrible qui soit.

Chaque soir, la main tendue du jeune homme assassiné, que je n'ai pas osé prendre, son regard suppliant et terrifié au seuil de la mort, dont je me suis détournée, sa chemise blanche sur laquelle la tache de sang s'agrandissait à vue d'œil, le galop des meurtriers au jour déclinant, tout cela revit en moi avec une précision insoutenable.

Je me sens coupable, et avoir été une enfant à cette époque n'excuse rien. Coupable de désobéissance, coupable d'avoir laissé condamner une pauvre folle solitaire incapable d'un tel geste, coupable d'avoir refusé de donner la main à un mourant, coupable d'avoir juré le silence et l'oubli.

Je sais désormais qu'il faut agir selon son cœur, au plus près de ce qui nous semble juste et ne jamais accepter ce qui nous fait violence. J'ai failli ce jour-là, et le prix de ce manquement est une croix de plomb sur mes épaules.

Le 17 de ce mois de novembre

Une lettre de ma sœur Judith m'est parvenue hier. C'est une grande joie, elle m'annonce son arrivée prochaine avec son mari, maître drapier à Leyde.

Une grande tendresse, mêlée d'un peu de peine m'envahit lorsque je pense à elle.

Si peu de mois nous séparent, onze seulement, à peine le temps pour notre mère de se relever de couches ! Et quand, des années plus tard, trois jeunes sœurs sont arrivées, nous nous trouvions en âge de nous occuper d'elles, de surveiller leurs jeux ou de les habiller.

Judith attirait tous les regards, avec son grand front et ses cheveux d'or pâle. Pour chacun, elle avait un mot aimable qui lui venait naturellement. Sur son passage jaillissaient une gaieté, une légèreté qu'elle paraissait inventer à l'instant même, et distribuer sans compter. J'étais moins jolie, bien plus grave, mais j'étais l'aînée ; aussi ai-je été l'objet de plus d'attentions.

Elle est bréhaigne, c'est là son infortune. Par deux fois, trois fois, des espérances lui sont venues. Elles sont parties dans le sang et les larmes, la laissant faible, et attristée.

Paulus Nieuwenhuis, son mari, est un homme bon, mais vif. En famille comme en affaires, il est prompt à s'emporter, puis à oublier la cause même de son emportement. On garde longtemps la marque de ses mots lorsqu'on les a reçus à la face. Judith n'a pas été épargnée. Aussi le sourire se fait-il rare aujourd'hui sur son visage. J'en suis triste pour elle, et affligée de ne pas pouvoir alléger sa peine.

Nous nous recevons chacune une à deux fois l'an, pour notre plus grand plaisir.

Je souhaiterais pourtant davantage de simplicité lorsque nous arrivons chez elle. Elle nous accueille avec cérémonie comme des invités de marque qu'elle veut honorer. Je trouve cela inutile, mais il semble important pour elle de montrer son train de maison, de nous faire admirer et sa table et son linge. C'est une joie que je ne voudrais pas lui retirer.

Son jardin est sa plus grande fierté. Elle y consacre tout le temps qu'elle peut distraire à la vie domestique et à la marche de son commerce, et chacun reconnaît qu'elle montre là un goût très sûr. Elle sait accorder les nuances des fleurs et des fruits, et faire en sorte qu'en chaque saison, on y trouve quelque espèce plaisante à regarder.

Sur les quelques dizaines de pieds auxquels on accède depuis la chambre du fond, elle a laissé croître un sureau, un prunier et quelques poiriers. Au sol, c'est à une floraison de roses, de tulipes et d'iris qu'elle accorde tous ses soins. L'an passé, elle a planté des lys et des jacinthes bleues, pour leurs parfums, et fait venir à grands frais de Haarlem des oignons de tulipe d'une espèce rare, qui donneront des fleurs de deux couleurs, aux pétales semblables à une dentelle effilochée.

Au milieu de ce minuscule éden, elle a fait disposer un pavillon de bois d'un goût chinois. On y déjeune aux beaux jours, qu'elle guette avec une impatience d'enfant. Son mari, qui lui a souvent reproché ces dépenses d'agrément, s'amuse aujourd'hui à étonner ses visiteurs par la variété des couleurs et des essences qu'on y rencontre.

Notre petite cour pavée, au fond du corridor, semble bien modeste à côté, avec son pommier et ses quelques rosiers grimpants, mais elle me suffit. Plus que les fleurs, ce sont les arbres que j'aime. Les tilleuls du canal me réjouissent bien davantage, avec leur feuillage qui semble envahir chaque pièce et qui, jour après jour, me renseigne du cours des saisons.

Au fil des ans, les espoirs d'enfanter se sont taris pour Judith. Je vois combien elle est désemparée, lorsqu'elle se trouve chez nous, entourée de nos enfants qu'elle aime avec tendresse, et qui lui rendent son affection. Notre maison est bruyante, mais lorsque j'implore un peu de silence, elle me prie de n'en rien faire, disant que cela l'égaie. Je ne sais que faire pour soulager son accablement. Comment aurais-je imaginé que nos vies prendraient de si dissemblables visages ?

Souvent je pense à mes enfants que le Seigneur a déjà rappelés à Lui. Je dois accepter qu'ils soient, hélas, le cruel tribut dont les femmes qui donnent vie doivent s'acquitter.

Ma tristesse devrait être peu de chose face à la sienne, je le sais, mais je garde au fond de moi le souvenir des rires disparus. Les années viennent peu à peu effacer dans ma mémoire le visage des enfants que j'ai portés, morts à présent. Johanna, Titus, Maria, Gabriel ; et cela me hante.

Ils sont présents autour de moi le soir, et le souvenir de leurs derniers instants me saisit à la gorge. La prière m'est un piètre réconfort. Mais à qui l'avouer ?

Judith me comprendrait, car elle est sensible, mais je serais bien sans cœur de lui rappeler combien mon ventre fut fécond, quand le sien demeurait désespérément vide.

Elle s'applique aujourd'hui à ne pas contrarier son époux et à l'assister dans la conduite de leurs affaires. Elle se tourmente pour lui, mais s'en ouvre peu.

Paulus parle haut, rit de même, mange et boit plus que de raison. À la fin des repas, la couleur de son visage prend une effrayante teinte pourpre. Essaie-t-elle de le tempérer d'une voix timide qu'il l'écarte avec impatience. La déception de rester sans héritiers l'a rendu irritable ; il voit avec le temps s'amoindrir l'espoir de connaître un jour une maison pleine de vie. Il ne peut garder ces pensées pour lui, et son entourage s'en trouve éclaboussé. Puis il regrette ses mots et ses gestes avec une sincérité telle qu'on lui pardonne. C'est un homme juste, et malheureux.

Le 19 de ce mois de novembre

Les hommes s'inquiètent beaucoup de leur des-
cendance, semble-t-il. Ainsi en a-t-il été de notre
père, resté sans fils. Son caractère s'en est trouvé
très assombri. Les naissances successives d'Isabel,
d'Anna et de Hendrickje, après celle de Judith et la
mienne ne l'ont guère réjoui, j'en fus témoin.
Avec Judith, toutes deux tapies derrière une ten-
ture, nous le guettions. Je le revois, se levant,
s'asseyant et ne sachant que faire de sa personne
pendant le temps des douleurs, attendant que la
sage-femme paraisse sur le seuil de la chambre.
Renseigné du sexe de l'enfant, il quittait la maison
sans un regard pour le nouveau-né ni pour l'accou-
chée épuisée, en pleurs.
Il a pourtant tendrement aimé ses enfants par la
suite, cédant malgré lui à leurs grâces de petites filles,
à leurs façons charmeuses, à leurs agaceries, tout en
se plaignant, et faisant mine d'en rire, d'être le seul
homme de sa maison, et de devoir à chaque instant
éviter les poupées et les chiffons semés dans chaque
pièce comme blé de printemps. Mais parfois un mot,
une phrase demeurée un pied en l'air rappelaient
avec férocité sa rancœur envers notre mère, coupable
de n'avoir su enfanter qu'un troupeau de juments.

Lèvres pincées, le visage gris, notre mère se retirait alors en silence. On l'entendait à la cuisine houspiller la vieille Antje, notre servante, accoutumée à ces moments qu'elle laissait passer comme on regarde filer les nuages.

En tant qu'aînée, j'ai occupé la place du fils manquant. Du moins je le crois. Ainsi en a-t-il été jusqu'à mes fiançailles avec Pieter, alors capitaine du *Raven*, l'un des navires de la Compagnie armé pour le commerce du poivre, de la muscade, de la cannelle, et de toutes ces marchandises que le monde convoite de nos jours.

Du plus loin que je me souvienne, les histoires de marine et de négoce m'ont tenu lieu de contes, et je m'endormais bercée par des songes peuplés de navires, d'océans, d'îles, de cités lointaines, d'animaux et de peuples extraordinaires.

Dois-je confesser ici que je prenais le plus grand plaisir aux conversations sérieuses qui me grandissaient aux yeux de mon père, et me tenaient éloignée des choses de la maison ?

La couture m'était un supplice – je ne savais que me piquer au sang, en tachant mon étoffe –, tout comme le lavage des sols de chaque pièce à grande eau. Chaque semaine, il fallait sortir tous les meubles, y compris dans les pièces où on ne pénètre que deux fois l'an.

C'est à ce prix qu'une femme se fait respecter de ses domestiques et de ses voisines, semble-t-il. J'ai dû plus tard m'y résigner, et ordonner que l'on fasse chez moi de même.

Je ne montrais pas davantage de dispositions pour la cuisine, n'étant pas gourmande de nature, dégoûtée par les bêtes mortes et leurs odeurs, avec les peaux, poils, plumes, têtes, écailles ou entrailles des poissons et gibiers qu'il fallait apprêter pour les repas.

On tolérait mon épinette, encore que ma mère me reprochât d'y passer trop de temps. Lorsqu'elle s'en ouvrait à mon père, celui-ci se contentait de hausser les épaules. *Ne cherchez pas querelle à Magda, Rachel. Je vous le demande.*

Elle se gardait alors d'insister, redoutant de s'entendre dire, une fois de plus, combien la présence d'un fils dans cette demeure aurait changé les choses.

Pour ma part, j'étais heureuse de mon sort, et me plaisais à questionner mon père sur ses affaires.

Ainsi, dès que j'ai su lire, écrire et compter, tout ce qui touchait à la façon d'engager ou d'emprunter l'argent, à l'entretien des navires et aux frais d'équipage, aux risques de mer, à la marche de nos comptoirs, aux prix en cours dans les magasins, à l'organisation des ventes, aux discussions avec les fournisseurs de vivres, aux bénéfices sur la cargaison, aux procès à mener contre un actionnaire déloyal de la Compagnie ou un courtier indélicat, m'était aussi familier qu'une simple promenade au bord du canal.

Le 20 de ce mois de novembre

Ma grande joie, et ma fierté d'enfant, étaient d'accompagner mon père à Rotterdam à l'arrivée des bateaux. Le port de Rotterdam appartient à notre ville de Delft et les navires de la Compagnie en partent pour Batavia, Surinam, pour l'Inde, la Chine, le Japon ou l'Afrique. Ils y reviennent de même. Je n'ai pas souvenir de plus grande réjouissance. Les préparatifs étaient des fêtes, et l'inconfort du voyage, une grande part de l'aventure.

De la fenêtre de notre voiture de louage, secouée par les cahots de la route, j'aimais la vue de ces longues plaines qui s'étendent entre les deux villes. Le regard s'y perd, et on ne sait quand les terres finissent. C'est ainsi que je me représentais la mer, au large des côtes, avec les hommes dans leur coque de bois posée entre le ciel et l'océan, à redouter leur fureur, et à s'émerveiller de leur magnificence.

Les premiers goélands aperçus, avec leur vol lourd et ample annonciateur d'océan, me faisaient tressaillir. Leur cri comme une promesse de mer. Je sais qu'ils n'inspirent que crainte et dégoût aux gens de mer ; ils voient en eux les âmes des marins trépassés, roulés dans les flots jusqu'à ce que leur chair se dissolve ou serve de repas aux requins.

L'âme des noyés se réfugie alors, pensent-ils, dans ces oiseaux blancs et gris ; leur présence autour des bateaux est un signe funeste qui les remplit d'effroi. L'idée de n'avoir pour sépulture que la solitude des eaux sombres et glacées d'une mer lointaine terrifie l'âme la mieux trempée.

Je comprends cette crainte sans la partager, en terrienne assurée de retrouver chaque soir une flambée réconfortante et un lit de plumes réchauffé par la bassinoire qu'y glissent les servantes. Le cri éraillé de ces oiseaux prend à mes oreilles une tout autre résonance, mais c'est là une pensée que je garde pour moi.

C'est, je crois, la sagesse ; j'ai à cœur de ne pas heurter les gens d'équipage dans leurs croyances, tant l'appréhension de la mort gouverne souvent nos vies. Et, plus que quiconque, ces hommes savent que chaque nouveau lever de soleil risque d'être pour eux le dernier.

La mer, les navires, le port et le monde qui s'y affaire, les quais encombrés, les tonneaux que l'on roule, les caisses que l'on arrime sur les charrettes, les sacs que l'on attache au dos des mulets, tout cela m'enfiévrait au plus haut point.

Un bateau qui revient, après dix-huit ou vingt mois de mer, est un événement. Les départs sont tout autres. Il faut faire bonne figure et ne pas embarrasser l'équipage de nos inquiétudes. Les marins engagent leurs vies dans de tels voyages, ce n'est pas notre cas. Fortune de mer, et à Dieu vat ! Longtemps on demeure les yeux posés sur l'horizon, jusqu'au moment où les voiles se dérobent à la vue, et le cœur se serre, malgré les espérances. Promesses et incertitudes y sont étroitement liées. L'état de la mer, les bateaux ennemis, corsaires anglais, portugais ou français, une épidémie à bord, des agents de la Compagnie corrompus sont parmi les dangers les plus fréquents.

Nos capitaines ne sont pas à l'abri de marchands déshonnêtes, soudoyés dans quelque comptoir par les compagnies de France ou d'Angleterre pour tricher sur la qualité d'un café, d'une récolte de fèves de cacao ou sur la finesse d'une porcelaine. Parfois, des denrées comme le tabac ou le gingembre nous parviennent gâtées par les mois passés en mer, faute d'avoir été entreposées avec les précautions nécessaires.

Les risques sont infinis, bien plus que l'on ne saurait l'imaginer. Au retour, ces sentiments n'ont plus lieu d'être, on sait que la mer fut bonne, et les vents favorables. L'heure est à se réjouir.

Je me souviens des trois départs de l'année, celui de la flotte de Noël, celui de la flotte de printemps, et celui de l'automne, après de longs mois de préparatifs.

Il faut disposer d'un navire en état de prendre la mer, prêt à affronter cyclones, ouragans et tempêtes, et d'un équipage de marins et de soldats assez nombreux pour manœuvrer les voiles et faire entendre justice dans nos comptoirs, mais en quantité raisonnable, car chaque homme coûte, et cela est à la charge de l'armateur.

Il faut aussi débattre du devenir de la cargaison, des façons les plus avantageuses de la revendre ; chacun veut en tirer le plus grand bénéfice et les discussions donnent matière à querelle. L'une des grandes tâches à mener à bien avant le départ est celle de l'avitaillement. On ne conçoit point qu'un si grand nombre d'hommes demeure plusieurs mois en mer sans manger ni boire. Les officiers pourvoient d'eux-mêmes à leurs provisions de bouche, et il échoit à l'armateur de nourrir les hommes.

J'étais chargée par mon père de venir l'assister au siège de la Compagnie, et de vérifier les commandes préparées par ses employés. Il me fallait relire les

longues listes des vivres d'équipage, des denrées des-
tinées aux malades, celles qu'on nomme « rafraîchissements », faites de beurre salé, d'œufs, de
volailles et de moutons sur pied, avec leur fourrage,
mais aussi les listes des marchandises d'envoi, à
l'intention de nos compatriotes installés dans les
comptoirs, attendant d'être livrés en viande salée,
farine, vins ou eau-de-vie.

Je m'acquittais de mon mieux de cette tâche, trou-
vant un secret plaisir à songer que, de ma vigilance,
dépendait un peu la façon dont les hommes seraient
traités à bord, loin de leurs foyers, sous des cieux
et des climats souvent inhospitaliers.

Le 21 de ce mois de novembre

Je me souviens de ce mois de janvier, nous préparions le départ de la flotte de printemps. J'avais quinze ans, à peine, et m'employais, à ma très grande joie, à satisfaire la requête paternelle. Il s'agissait de relire les documents destinés aux fournisseurs.

Un jour arriva où je m'étonnai de voir certaines provisions mentionnées deux fois, sur deux pages différentes. Je signalai le fait à mon père, qui vint surveiller l'embarquement des vivres avec une vigilance accrue.

Il découvrit que les marchandises indiquées en double étaient bien commandées, et devaient être payées, mais elles n'étaient point livrées, et la page qui doublait la commande initiale avait disparu de la liasse. L'enquête qu'il fit promptement mener révéla que l'employé responsable de ces commandes détournait ainsi des vivres qu'il revendait à son profit quelques mois plus tard. Il dut restituer les sommes indûment gagnées, et fut chassé.

Au siège de la Compagnie, on apprit la part que j'avais prise à la découverte de l'affaire. Les employés me saluaient d'ordinaire avec affabilité, car je n'étais qu'une très jeune fille. Je devins

« Mademoiselle », et leur salut ne fut alors que déférence. Ce respect était de la crainte, je le découvrais. Pour la première fois, j'inspirais ce sentiment et m'en trouvais toute étonnée. Depuis lors, je m'y suis habituée, et cela ne me trouble guère.

Peu de temps après, nous étions demeurés seuls un soir au siège de la Compagnie sur l'Oude Kerk, mon père s'adressa à moi avec gravité. *Je vous fais mes compliments, Magda, et vous adresse mes remerciements. Vous avez été avisée, et vigilante. Que ceci vous apprenne à ne pas accorder votre confiance à qui que ce soit, tant notre situation est enviée. Je connais votre cœur tendre, qui réjouit le père que je suis, mais il vous faudra toujours agir ainsi, au plus près des intérêts de notre maison. Le négoce est chose parfois difficile. Gardez la douceur de vos sentiments pour ceux de votre sang, et votre considération pour ceux de votre rang. Craignez Dieu, et respectez leurs serviteurs. Pour le reste, ne baissez jamais la garde, et ne cédez sur rien. Jamais. Aussitôt, vous seriez dépecée.*

Il s'interrompit, se leva et regarda un long moment le brouillard descendre sur le canal, revint à son bureau éclairé d'un haut candélabre à trois flammes. *Désormais, vous m'accompagnerez ici chaque semaine. Dès demain, votre mère vous remettra le collier de perles qui vous est destiné depuis votre naissance. Elle veillera à vous procurer un col de dentelle, et vous fera confectionner une jupe longue. De ce jour, vous n'êtes plus une enfant. Venez maintenant, Magda, nous rentrons chez nous.*

Nous sortîmes sur le canal, ce n'était que pluie et vent. En quelques instants, ma courte pèlerine fut transpercée. Mon père retira sa cape de lainage brun, m'en enveloppa de la tête aux pieds. À travers l'étoffe, je sentais la tiédeur de sa main sur mon épaule. Je ne savais si c'était là un geste d'affection, ou s'il s'appuyait sur moi pour faciliter sa marche, devenue difficile ces derniers temps.

J'ai la certitude qu'à cet instant précis, nous représentions l'un pour l'autre l'univers tout entier. Je posais ma joue sur sa main et ne désirais rien d'autre. Le bonheur n'avait pas d'autre visage.

Le 23 de ce mois de novembre

À son arrivée sur un navire, mon père était reçu comme un prince par le capitaine et l'équipage, avec les honneurs dus à son rang. Puis venait le moment de la remise du journal de bord, où tous les faits et incidents du voyage, intempéries, maladies à bord, réparations, courants marins, forme des rivages abordés, animaux ou oiseaux rencontrés, sont consignés.

On y trouve parfois des dessins qui montrent ce qui est difficile à expliquer, ou la description de mœurs étranges, bien éloignées des nôtres. J'appris ainsi qu'à Bali, les rois prennent à douze ans leur première épouse, et qu'à l'âge de vingt ans, ils n'en ont pas moins de deux cents !

Que d'heures ai-je passées dans ces carnets, à m'en brûler les yeux et à en perdre le sommeil, transportée en des lieux que de ma vie, je ne connaîtrai. Dans ces moments-là, ai-je assez maudit le sort de m'avoir fait naître fille !

Suivait une collation. Des alcools ambrés étaient servis dans des verres de cristal sortis d'un coffre d'ébène incrusté de nacre, d'ivoire ou de citronnier. J'étais quant à moi considérée comme une princesse et traitée comme telle, avec une déférence qui m'amusait, sans que j'en comprenne bien la raison.

Chacun se donnait du mal pour me plaire, m'amuser, m'offrir des pâtisseries, un verre de sirop ou une tasse de chocolat. Les conversations se prolongeaient, les flacons de cristal circulaient autour de la table, les hommes parlaient plus fort, fumaient la pipe. La chaleur devenait étouffante. On me faisait sortir, et je me voyais confiée à un officier chargé de me montrer le navire.

C'est le moment que j'attendais. Je ne pensais qu'à courir sur le pont, monter et descendre en tous sens, découvrir passages et passerelles, gagner la proue, manœuvrer le gouvernail, interroger les boussoles, toucher l'acier des canons, compter les sabords, les mâts, enjamber les rouleaux de cordages, demander le nom de chaque voile, inspecter les cales, les cuisines, visiter chaque soute, et m'étourdir d'odeurs inconnues.

Un jour, un matelot me montra un petit singe, qu'il serrait dans sa chemise. Je voulus m'emparer de l'animal. Terrorisé, il chercha à me griffer pour se défendre et grimpa prestement le long d'un mât, où il demeura sans bouger. Le marin fut fouetté, car ma jeune personne était sacrée, il n'était pas concevable qu'elle ait été exposée à un tel danger.

J'étais effrayée, étourdie, enchantée. Je priais pour que cela ne finisse jamais. Du pont, je me grisais de l'agitation sur les quais, des cris, du déchargement précautionneux de toutes les richesses extraites du ventre du navire, de leur acheminement vers les longs entrepôts gardés par des soldats, casqués, hallebarde au poing. On redoutait le vol, et l'incendie. Et je ne crois pas que l'or de Darius, ou les mines d'or du roi Salomon, aient été mieux gardés.

Mon père, ses entretiens terminés, me faisait chercher. Nous repartions avec les compliments des officiers, réunis autour de l'échelle de coupée, droits dans leurs sombres uniformes d'apparat à boutons d'argent, agrémentés de collerettes immaculées, chapeaux bas.

J'étais loin de la maison, de la tristesse dévote de ma mère, des mouchoirs à ourler, des serviettes à compter, des draps à recoudre, du linge à raccommoder, de tous ces airs entendus que prennent les femmes entre elles, et qui, souvent, leur tiennent lieu de langage. J'étais comblée. Je vivais. Ô combien !

En devenant malgré moi, avec mes premiers sangs, une demoiselle, j'ai dû cesser mes courses folles sur les ponts sous les yeux de l'équipage mi-amusé mi-inquiet, bonnet à la main, prêt à me garder d'une quelconque chute.

Instruite de la réalité du commerce et des vaisseaux, j'assistais désormais avec mon père aux conversations d'affaires dans le carré des officiers. C'est ainsi que j'ai croisé le regard de Pieter Van Beyeren, alors capitaine en second sur le *Raven*.

Pour la première fois, j'ai tremblé.

Je me suis tue pendant tout le voyage du retour, cela n'était pas mon habitude. Mon père avait deviné ce que j'ignorais encore. Quelques semaines plus tard, j'ai revu Pieter, venu à Delft avec le capitaine du *Raven* rendre encore quelques comptes au siège de la Compagnie, sur l'Oude Delft, à quelques pas de notre propre maison.

Plus tard, j'ai appris qu'il avait demandé à mon père la permission de venir me saluer.

Je répétais alors sur mon épinette une pièce de M. Sweelinck, le musicien d'Amsterdam, et j'étais toute à mes accords et mes arpèges et mes doigtés, lorsque la vieille Antje vint me prévenir qu'un jeune monsieur en belle tenue s'entretenait avec mes parents. On me priait de descendre. Je me présentai en coiffe et jupe d'intérieur, sans apprêt, intriguée, ne sachant ce qu'on me voulait. S'agissait-il d'un nouveau maître de musique, de dessin, du tailleur venu prendre mes mesures pour une robe ? Pourquoi n'avais-je pas été prévenue ?

Neige, la chatte blanche aux yeux vairons endormie à mes pieds, jaillit brusquement, arrachée à son rêve, et mue par une hâte inexplicable, me précéda dans l'escalier, la queue dressée, manquant de me faire chuter, et me jetant de temps à autre par-dessus son échine un de ses regards mi-jade mi-azur, comme pour m'inciter à presser le pas.

Je revois la pièce carrelée de noir et de blanc, les meubles sombres et la table recouverte de son lourd tapis damassé. Tous avaient les yeux sur moi ; je compris qu'il se passait quelque chose d'important.

Pieter revint, et Judith se moquait de mon embarras croissant, riant de me voir hésiter sans fin à choisir un caraco, un ruban ou un foulard d'indienne, avant de changer d'avis l'instant d'après.

Le 26 de ce mois de novembre

Quelques mois plus tard, il fut décidé que Pieter prendrait le commandement du *Haarlem* au prochain départ de la flotte de Noël. Le *Haarlem* faisait route vers la Chine, pour revenir les soutes remplies de soieries et de porcelaines précieuses décorées d'oiseaux et de fleurs, issues des grandes factoreries de Canton.

Le goût était alors à ces services de table venus de la côte d'Imari, ornés de motifs couleur d'or et de corail délicatement déposés sur un fond blanc translucide, tant la matière est fine, et que l'on nomme « sang et lait ». C'était une expédition de la plus haute importance ; mon père en attendait un grand profit. Mais dans ces contrées, les négociations se montrent parfois délicates à mener, et prennent plus de temps qu'on aurait souhaité, car les hanistes y imposent leur loi.

Ces marchands chinois ont l'exclusivité de l'achat des cargaisons occidentales, tout comme celle de la vente des marchandises fabriquées là-bas. Ils sont maîtres dans l'art de retarder les livraisons et de contraindre les équipages à prendre leurs quartiers auprès d'eux pendant d'interminables semaines, dans des logements qu'ils leur louent.

Ils savent attiser les convoitises et entretenir la concurrence entre les bateaux venus de nos Provinces-Unies, de France ou d'Angleterre. À chacun ils promettent des merveilles qu'ils proposent en fait à tous, faisant croire qu'il s'agit là d'insignes faveurs, et font en sorte que les plus désireux de leurs biens en paient le prix le plus élevé.

Ce sont des seigneurs du commerce, et chacun doit se soumettre à leurs façons de faire, quelque dépit qu'il en ait. Les officiers doivent ensuite vérifier chaque objet avec soin, car dans les derniers arrivages, quantité de défauts ont été observés sur ces pièces de porcelaine blanche et bleue qui excitent aujourd'hui les passions en Europe.

Les fours là-bas cuisent nuit et jour, la ville n'est qu'un brasier semblable à l'idée que l'on peut se faire de l'enfer, paraît-il, mais les marchandises ne sont ni façonnées ni peintes avec le soin qu'il faudrait.

Nos acheteurs s'en plaignent, et trouvent là prétexte à exiger des prix moindres, malgré toute la peine prise à les satisfaire. Aussi désirions-nous acquérir des pièces de facture différente. Cela prendrait de longs mois. C'était notre seule certitude.

En ce qui concernait Pieter et moi, nous serions fiancés à son retour, si tel était toujours notre vœu. On me priait d'y réfléchir.

Le 30 de ce mois de novembre

En si peu de temps une destinée s'engage, et de cet instant dépend tout le cours d'une vie. Je savais que je ne serais point mariée contre mon gré, mais je ne savais pas ce que je désirais.

J'avais plus de vingt mois pour y songer. Pieter, quant à lui, savait déjà.

Sitôt parti, il me manqua. Je vécus dans l'impatience et la songerie. On me trouva souvent occupée à rien, à sourire aux nuages ou aux oiseaux. Ou bien je me montrais capricieuse, en larmes pour un bas déchiré, un mouchoir perdu. Cela ne me ressemblait pas. J'étais amoureuse, puisque c'est ainsi que l'on nomme cet état.

Pieter était sans fortune, riche de son seul uniforme et de son coffre d'officier, mais sa famille, à La Haye, jouissait d'une bonne réputation. D'une escale à Surinam, il avait rapporté pour me plaire un perroquet rouge et vert qui m'enchanta et devint mon compagnon, avant que je ne le retrouve raide un matin d'hiver particulièrement froid. J'y étais attachée, et versais pour lui mes dernières larmes d'enfant.

Nous eûmes de belles fiançailles, et de ce jour, mon père considéra Pieter comme le fils en vain espéré.

Il fut décidé qu'au retour de cette traversée, il ne reprendrait pas la mer, incertaine, trop risquée. Mon père l'associerait à ses affaires avant de lui céder sa charge le moment venu. J'étais pour ma part au fait de toutes les choses du commerce, cela nous fut précieux.

Nous sommes devenus mari et femme dans l'année qui suivit son retour. J'avais dix-neuf ans. Je découvris ce qu'on nomme la chair, et pour péché que ce soit, il me faut avouer ici que cette découverte me combla. J'ignorais ce qu'une femme doit attendre d'un époux, mais le contentement que j'éprouvais à m'endormir auprès de lui, sitôt nos corps délivrés du singulier mystère des gestes de la nuit, me fut une réponse suffisante.

Nous nous installâmes dans cette maison, au bord du canal ; elle nous parut immense. Nos voix résonnaient dans chaque pièce avant que tapis et tentures ne viennent en étouffer l'écho.

Oui, c'est dans cette chambre, où la vie me parut si douce avant de s'assombrir, que j'ai souhaité être peinte, à ces heures où un soleil pâle vient tiédir le sol et y tracer d'insaisissables figures de géométrie.

Le 5 de ce mois de décembre

J'entends un bruit de voix. Cela vient de la chambre de Catherina.

Catherina est ma fille aînée. Pour l'heure, elle se dispute avec Elisabeth, sa cadette. Quelque histoire de ceinture, de ruban ou de peigne égaré, sans doute. Toujours est-il que je n'aime point entendre mes filles se quereller.

Souvent les mots vont plus loin que la pensée, et il est trop tard pour les arrêter. Leur flèche a blessé, et la blessure met du temps à se refermer.

Catherina est belle, très belle, mais sans cœur. Elle saura gouverner sa maison et terroriser ses gens. Elle sera crainte, mais pas aimée. Seule sa parure la préoccupe, et son miroir, où elle se contemple avec ravissement. Cela irrite son père, car il condamne ces manifestations d'orgueil, et me soupçonne à tort d'encourager ce défaut.

À dix-sept ans maintenant, elle est en âge d'être mariée. Nous attendons que le fils aîné de Joos Van Ostade, le brasseur du Voldergracht et de Maria, son épouse, se déclare. Les jeunes gens semblent s'apprécier et les parents du jeune homme se réjouissent comme nous d'un rapprochement entre nos deux familles.

Catherina rendra fou l'homme qu'elle épousera. Il la maudira cent fois avant de courir le monde pour satisfaire son caprice. Voudra-t-elle un chiot, une chaîne en or, un manchon de fourrure, des fruits en hiver ? Elle aura tout. Ce ne sera jamais assez.

Je lui souhaite d'être heureuse, car elle est ma chair, et le temps où elle venait se blottir contre moi avec sa poupée n'est pas si loin. Je lui souhaite d'apprendre à se satisfaire de la vie, telle qu'elle est. C'est un long apprentissage, parfois bien amer, je le sais.

Aujourd'hui, le monde lui doit ce qu'elle désire. Elle se montre respectueuse envers moi, et affectueuse, mais je n'aime pas l'arrogance dont elle fait preuve à l'extérieur, et lui en fais souvent reproche, c'est mon devoir. Sa façon d'être m'attriste, et je ne sais d'où lui vient ce cœur si peu attentif à son prochain.

Un pénible incident est survenu il y a peu avec Sarah, notre jeune servante boiteuse.

Sarah est chez nous depuis quelques mois, elle est une lointaine parente de notre vieille Geertje qu'elle aide de son mieux, car celle-ci se fatigue vite et mérite aujourd'hui de se reposer.

C'est presque une enfant encore, et malgré son infirmité, elle se montre gaie, pleine d'entrain et ne cherche qu'à se rendre agréable. Elle aide au ménage, à la cuisine, et se déplace avec adresse, malgré sa jambe trop courte qui la fait boiter bas.

On l'aperçoit au fond du tableau, avec sa coiffe et son tablier, occupée à laver par terre. J'ai tenu à sa présence, car j'affectionne cette enfant disgraciée et joyeuse ; elle fait partie de notre maison.

Il y a peu, Catherina l'a rudoyée, car elle n'apportait pas assez vite le rafraîchissement demandé. Craignant d'être frappée, elle est tombée en sautant maladroitement de côté pour se protéger.

Catherina a éclaté d'un rire dont j'ai honte encore. Lorsque j'y pense, le sang me monte au visage. J'ai relevé Sarah, prostrée, en larmes. Son visage terrifié faisait peine à voir. Je lui ai dit qu'ici, elle n'aurait ni peur, ni faim, ni froid. Je l'ai consolée comme je faisais jadis avec mes propres filles, et l'ai aidée à remettre un peu d'ordre dans son vêtement.

À ma demande, Catherina a gagné sa chambre, je l'y ai rejointe. *Souvenez-vous, mon enfant, des paroles de notre Seigneur : « Ce que vous faites au plus petit d'entre nous, c'est à moi que vous le faites. »*

Je ne suis ni plus sage, ni meilleure que beaucoup d'autres, mais avec le temps les peines du monde font leur chemin dans le cœur, et si l'on ne peut rien retirer des misères existantes, du moins efforçons-nous de n'en point ajouter.

Sous l'effet de la colère, j'ai songé à la punir en la contraignant de demeurer dans sa chambre jusqu'au lendemain. J'y ai renoncé, craignant pour Sarah des représailles, quelque mauvaise vengeance, une brutalité dans mon dos. Catherina a froncé son joli front, devenant d'un coup maussade, et laide. Elle s'est agenouillée et a baisé ma main ; nous nous sommes embrassées. À ce moment-là, ses beaux yeux clairs étaient ceux d'une enfant grondée.

Se souviendra-t-elle de cela ? Je le souhaite de toutes mes forces. Mais apprend-on au renard à devenir poule, ou lapin ?

Je prie chaque jour, moi qui ne suis pas aussi pieuse que je le devrais, pour que son cœur s'ouvre à la compassion.

Le tempérament de sa sœur Elisabeth est tout autre, et si je m'efforce de donner à chacune la même part d'amour, je dois reconnaître que son caractère m'est une grande consolation.

Elle a bientôt quatorze ans, c'est une enfant gracieuse et aimable. Mon plus grand plaisir est de l'accompagner lorsqu'elle chante, car le Seigneur l'a dotée d'une voix étonnante de beauté. Sa facilité à déchiffrer la musique me surprend toujours. Elle aborde une composition, aussi ardue soit-elle, comme on se glisse dans un vêtement taillé à son exacte mesure, s'ajustant au corps comme il se doit.

Lors de l'après-dînée, nous avons l'habitude de réunir quelques amis, amateurs de nos concerts familiaux. Ce sont des moments qui réjouissent mon cœur. Lorsque je me surprends à rêver, c'est d'une existence tissée de ces seuls moments, où chacun semble s'accorder à lui-même, comme à son entourage, avec la plus grande justesse, et n'éprouver pour le monde qu'indulgence, et affection.

Catherina se joint volontiers à ces soirées musicales. Lorsqu'elle s'en donne la peine, elle accompagne fort convenablement sa sœur.

Son jeu ne possède ni grâce réelle, ni sentiment profond, mais ses doigts sont assez habiles, et son profil attrayant. Elle s'entend fort bien à faire remarquer son joli mouvement de poignet, à s'attarder sur une poignée de notes flatteuses à l'oreille. C'est plaisant, mais ce n'est pas de la musique.

Lors de notre dernière soirée, elle a contrarié Elisabeth en omettant au milieu de leur duo un passage de bel effet, qui avait demandé à celle-ci des heures de répétition. Elisabeth n'en a rien montré, elle a continué à chanter, s'ajustant du mieux qu'elle pouvait à l'accompagnement. Personne n'a cillé, mais j'ai vu sa main trembler sur la feuille de musique.

Cela me peine à l'avouer, mais je ne puis m'empêcher de penser que Catherina l'a fait exprès, afin que sa sœur trébuche, et ne reçoive pas tous les compliments, comme c'est l'habitude, tant son chant sait toucher les cœurs.

Je préfère croire qu'indifférente à ce qui est étranger à sa personne, et peu soucieuse de quelques mesures de plus ou de moins dans un morceau de musique, elle aura été simplement étourdie. Cela est peu de chose, il est vrai, au regard de la marche des étoiles, mais Elisabeth était très dépitée de n'avoir pu offrir le plus beau passage de cette aria qu'elle avait longuement préparée, pour notre plaisir. J'en étais peinée pour elle.

Je l'ai priée de ne rien dire à sa sœur, qui verrait là un juste motif pour cesser leurs répétitions. Il m'importe que les deux sœurs gardent de la tendresse l'une pour l'autre, et rien ne me chagrine autant que de percevoir rancœur ou hostilité entre elles.

La musique chemine en nous, c'est une grâce de se laisser toucher par elle. Je crois volontiers qu'elle adoucit nos cœurs et nos humeurs.

Pour consoler Elisabeth, je lui ai rappelé ce jour où sa voix m'avait tant émue que j'en avais des larmes tremblant au bord des yeux. J'avais laissé passer le moment de jouer ma partie, et tenté de rattraper sa voix en toute hâte. Elle a vu mon erreur en m'en faisant gaiement le reproche. *Maman, si mon chant vous distrait au point d'en oublier votre jeu, eh bien je ne chanterai plus !*

Pourquoi Catherina n'aurait-elle pas été, elle aussi, troublée par la voix de sa sœur ?

Le 6 de ce mois de décembre

Les garçons, me semble-t-il, sont d'une éducation plus facile et ne donnent pas autant d'inquiétude. Du moins en est-il ainsi des miens. Jan, notre aîné, aura bientôt seize ans et prend, chaque jour un peu plus, les manières de son père. Il en a le visage et, par moments, des expressions si semblables que cela me trouble, comme ce regard droit qui interdit toute dérobade et semble interroger le tréfonds de l'âme... À cela s'ajoute ce sourire franc et doux qui m'a tant émue chez Pieter.

Jan gagne en assurance et montre du goût pour le commerce comme pour l'administration de la Compagnie. Il est attentif à nos discussions et questionne fort à propos. C'est un garçon aimant, honnête et de bon sens. D'un mot il sait apaiser les mots un peu vifs qui parfois s'échangent au sein d'une famille. Je crois qu'il sera à son aise avec nos affaires, lorsque Pieter voudra, le temps venu, lui apprendre le métier d'armateur. Il y sera habile, car il reste calme et patient en toutes choses. Il sait entendre les propos de chacun, sans pour autant renoncer à ses propres arguments, et mène en fin de compte la discussion comme il l'entend.

Je lui souhaite de trouver une épouse aimante, et sincère. Je le crois plus sensible qu'il ne veut le montrer, et je serais bien chagrinée de le voir malheureux, à tenter de plaire en vain à quelque agréable visage. Une taille joliment prise n'est pas une promesse de bonheur pour la vie ; je souhaite qu'il écoute nos conseils et qu'il saura se garder d'une mésalliance. Mais sait-on jamais ? Le sang se montre parfois vif, et la raison s'emballe.

Il me semble nécessaire d'éprouver de véritables sentiments pour celui ou celle, dont on va partager l'existence. Au fil des ans, et des tracas de la vie domestique, le risque est grand de les voir s'amincir, puis disparaître.

Nos mains ne retiennent ni le sable ni l'eau, il en est ainsi de nos cœurs, s'ils n'ont été un jour comblés de plus d'amour qu'ils ne semblent pouvoir en contenir. Aujourd'hui, Jan comble mon cœur de mère, comme son frère Samuel, si différent, et si attachant, je voudrais qu'il en soit toujours ainsi.

Samuel n'a goût que pour l'étude, l'astronomie, la mathématique, le latin et le grec, il se montre très savant pour ses treize ans. D'aussi loin que je me souvienne, son plus grand plaisir a toujours été de rester auprès de moi avec un livre, ou de venir me montrer quelque découverte faite au jardin, une tortue, une chenille ou quelque nid.

Il montre du talent pour la musique, et joue agréablement de la viole de gambe, mais il préfère s'exercer seul et n'aime pas se donner à entendre ; aussi est-ce en simple spectateur qu'il prend part à nos concerts.

Il éprouve du plaisir à s'interroger sur tout ce qui échappe à notre entendement. La carte des étoiles lui est aussi familière que l'intérieur de sa chambre, et ce qui nous paraît obscur ou mystérieux est pour lui source de ravissement.

C'est là un trait de caractère que j'admire en secret, car il a ce besoin remarquable de questionner sans cesse. Et je ne puis dire qu'il se montre trop rêveur, tant il se montre décidé pour apprendre ces choses, et vif à les comprendre.

Je songe à lui conseiller, si ce goût pour l'étude lui reste, de rejoindre, d'ici quelques années, l'université de Leyde, où l'on trouve les meilleurs professeurs. Il pourrait y être accueilli chez ma sœur. Cela lui ferait certainement grand plaisir, car elle porte une sincère affection à son neveu, et sa présence égayerait sa maison.

Et Frans, quelle sorte d'homme deviendra-t-il ? Pour l'heure il est mon tout-petit et cela me remplit de joie. Des enfants que j'ai mis au monde, et qui demeurent en vie à ce jour, il est le plus jeune. Le Ciel le protège !

Il aime jouer, cajoler son jeune chien, et se plaît à rester à la cuisine où la vieille Geertje le gâte trop. En pensant à lui, le sourire me vient aux lèvres. Mais je lui porte un amour inquiet. Je ne peux oublier que c'est au même âge, à quatre ans, que Gabriel a été emporté des suites d'un refroidissement. Les années ont passé, sans parvenir à entraîner dans leur flot le souvenir de ces jours de cendre.

Des jours et des nuits sans sommeil à veiller, à prier, à tenter de faire sourire le malade, à reprendre espoir en le voyant accepter une tasse de bouillon ou un peu de purée de riz sucrée ; et voir la vie abandonner ce corps d'enfant, si joyeux quelques jours plus tôt, tout affairé à un nouveau jouet. Comment y consentir ? En quelques heures un foyer plein de vie devient une maison mortuaire, où l'on veille un petit corps qui ne savait que rire. Il faut alors du courage pour recevoir les visiteurs, avec leurs mots que l'on n'entend pas, et songer à

ne pas oublier d'offrir une collation en remercie-
ment de leur sollicitude.

Je tremble aujourd'hui dès que Frans se met à
tousser, ou se montre pâle, sans appétit ou sans
entrain. Pieter, à qui j'ai une fois confié cette pensée, me répond que la volonté de Dieu doit s'accom-
plir, et qu'il ne faut point s'en inquiéter à l'avance.
Ce sont là des mots qu'une mère ne peut
entendre, car s'ils sont sages, ils ne sont point apai-
sants. Mais je serais malhonnête de reprocher à
mon mari de ne pas avoir été affecté par la perte
de ses enfants. Je l'ai vu assez sombre pendant de
longues semaines pour ne pas douter de sa peine.
Les hommes ignorent le plus souvent ce qui se
passe dans nos cœurs et dans nos corps ; ils com-
prennent mal qu'une mère aime sans raisonner, et
toujours se tracasse de demain.

Je redoute l'hiver qui couvre de glace les canaux
et appelle chacun à patiner. J'y ai pris grand plaisir
moi-même en mes jeunes années, tant cela est gai.
Mais mon corps s'est trop élargi à porter mes
enfants et j'y serais bien maladroite aujourd'hui.
Cela me coûte autant d'interdire à Frans de
prendre part à ces jeux, car c'est une des grandes
joies de l'hiver, que de l'y voir partir. Revient-il le
regard trop brillant, je ne sais si c'est de contentement ou de fièvre, et n'en dors pas de plusieurs
nuits.

L'hiver passé, un malheur est arrivé au village de
la vieille Geertje ; c'est tout ébranlée qu'elle m'a
conté la triste histoire.
Un solide garçon d'une douzaine d'années a vu
la glace se rompre sous lui. Tout est allé vite, il a
coulé avant que ses camarades puissent le secourir.
Un cri, à peine. Malgré leurs efforts, les hommes

du village n'ont pu ramener le corps à sa mère. Au matin, ses cheveux étaient devenus blancs. Chaque jour elle s'est rendue au bord de l'étang, à pleurer et prier à genoux dans la neige. La nuit venue, ses voisines devaient la faire raccompagner chez elle, de force le plus souvent. Même au dégel, le canal n'a pas rendu le corps.

Au moins ai-je eu cette consolation, de pouvoir accompagner mes enfants morts jusqu'à la tombe, avec ces pauvres gestes qui apaisent les vivants, et les aident à dire adieu à ceux qu'ils ont aimés. *Le Seigneur a donné, le Seigneur a repris*, nous enseigne Job.

Je sais cela. Mais tout au fond de moi, je ne puis faire taire une voix, qui murmure que le Seigneur, hélas, n'a pas toujours pitié de nos cœurs. Je devrais croire en son infinie miséricorde, car il a rendu à Job. Peut-être ne suis-je qu'une femme de trop peu de foi, prompte à oublier les bienfaits dont Il m'a comblée.

Le 7 de ce mois de décembre

Depuis que Pieter est venu me parler le mois passé, la douleur m'égare, et je me vois impuissante à y remédier.

L'enfant dont j'ai accouché au début de l'automne n'a pas vécu. C'était une fille, baptisée Johanna en toute hâte. À la naissance elle était bleue, et il s'en est fallu de peu que je la suive dans la mort, tant l'accouchement a duré et m'a fait perdre de sang.

La sage-femme me croyait perdue et me pressait de prier avec elle, au lieu de songer à changer mes linges empoissés de sang noir. Je ne sais ce qui s'est passé par la suite car je crois avoir perdu connaissance. J'étais vivante à mon réveil, à peine, car faible, et fiévreuse, mais non point morte comme on le craignait.

De longs jours se sont écoulés avant que la fièvre s'éloigne et que je revienne à la vie. J'ai dû rester alitée longtemps avant de pouvoir faire quelques pas dans la chambre, soutenue par Geertje et par Sarah. Il me semblait qu'une heure entière s'écoulait avant de parvenir à mon fauteuil distant seulement de quelques pas et de m'y asseoir.

Peu après, le vertige me prenait et il me fallait revenir à grand-peine à mon lit. J'étais si pâle, m'ont dit mes filles, que l'on ne distinguait pas mon visage de ma coiffe, et les bouillons épicés comme les confitures que l'on me forçait à prendre ne parvenaient qu'à me donner la nausée.

Mon propre lait, devenu inutile, durcissait mes seins à m'en faire crier. Geertje les serrait dans une bande de toile du plus fort qu'elle le pouvait ; j'y gagnais un répit de quelques heures. Avec les jours, le sang qui s'échappait de mon ventre s'est tari lentement.

Un matin, je me suis sentie plus forte, j'ai demandé à me coiffer et à me vêtir. Pour la première fois depuis des semaines, j'ai pu aller m'asseoir seule, et demeurer quelques heures dans mon fauteuil, les pieds sur une chaufferette, car j'étais transie, malgré le feu entretenu depuis le matin dans la cheminée.

Dès le lendemain, Pieter m'a fait annoncer sa visite. Il est entré, l'air grave, et m'a fait compliment des couleurs revenues sur mon visage. Je le priai d'approcher un siège et de venir s'asseoir auprès de moi, mais il n'en fit rien. Il était habillé pour sortir.

Madame, j'ai à vous parler d'importance, et comme je ne sais pas envelopper mes mots de rubans, je vous parlerai simplement. J'ai cru, il y a peu, devoir vous porter en terre, et à chacun votre rétablissement fait l'effet d'un miracle.

Vous savez que j'aime à vous entretenir de mes affaires et votre jugement, votre connaissance des questions maritimes m'importent grandement. Vous êtes une femme sensée, et habile, et cela m'est précieux.

Je viens vous dire la décision que j'ai prise. Nous ne nous connaîtrons plus comme mari et femme, et nous n'aurons plus commerce de chair ensemble. Une autre grossesse vous serait fatale. Cinq beaux enfants nous restent, soyons-en heureux.

Je ne veux plus être tenté de vous approcher. Aussi ai-je décidé de ne plus entrer dans cette chambre, qui demeurera la vôtre. Je vous garderai comme confidente et conseillère pour nos affaires, et n'entends point risquer de vous perdre à nouveau. Ainsi en ai-je décidé ; nous n'en reparlerons point.

Il s'est incliné, portant ma main à ses lèvres. Puis il est sorti sans un mot de plus.

Ces paroles me plongent dans le plus grand désarroi, car en protégeant ma vie, elles anéantissent mon cœur.

Tout le jour, toute la nuit, elles envahissent ma tête, chaque mot est une lame et je cherche en vain à savoir ce qui l'emporte pour Pieter, de son affection pour moi ou de son intérêt.

L'incertitude, ou la crainte d'une réponse terrible à laquelle je ne saurais faire face me brûlent. À cela, il n'y a aucun répit.

Ma vie dans la maison a repris son cours ; cette chambre qui fut ma gloire est aujourd'hui mon tombeau. Je m'y retire le soir le cœur lourd, et lorsque mes doigts s'attardent encore sur l'épinette, c'est de bien tristes airs qu'ils chantent.

Je m'efforce de faire bonne figure à tous, car nos enfants n'ont point à connaître des arrangements de leurs parents, mais cela me coûte, et je suis épuisée lorsque arrive la fin du jour. Je repousse aussi longtemps que je le peux le moment de m'étendre dans les draps. Malgré la bassinoire que Sarah ne manque pas d'y glisser, ils demeurent glacés. Assise devant cette écritoire, j'attends que mes yeux se ferment d'eux-mêmes, et que ma tête s'incline sur la page. Je me résous alors à affronter la nuit.

Je devrais savoir gré à mon époux d'épargner ainsi et mon ventre et ma vie. C'est là décision raisonnable, autant que marque de respect, quand on sait les hommes le plus souvent préoccupés de prendre leur dû sans se soucier du mal qu'ils peuvent faire.

Heure après heure, je me répète cela, et ne m'en puis convaincre. Je me sais déraisonnable et n'y puis rien. Plus d'une, à ma place, serait soulagée, bien heureuse de se soustraire à un exercice qui ne lui inspire que dégoût et grimace. Pourquoi faut-il que je sois au désespoir ?

Mon époux ira désormais soulager ses reins en quelque ventre de courtisane, car je ne puis concevoir qu'il renonce à la chair, et cette idée me ronge.

Je vois ces femmes, toujours à rire afin qu'on les remarque de loin, apprêtées de couleurs vives, parfumées et fardées, vaguer à plusieurs aux abords du marché.

Elles s'y pavanent en quête de quelque pratique, et se poussent du coude devant un spectacle qui les réjouit, un pauvre vielleux qui quête un sou pour sa peine, ou un estropié qui trébuche.

Je dois cesser de me représenter des scènes que je ne puis évoquer sans me sentir blessée. Je devrais être reconnaissante à Pieter de sa rude franchise, derrière laquelle il dissimule peut-être plus de sentiments qu'il ne veut, ou ne sait exprimer. Je sais qu'il pourrait se conduire tout pareillement sans rien m'en dire. Mais que sait-on vraiment de ceux qui partagent nos jours ? Le cœur d'autrui demeure le plus grand des mystères.

Mon corps est en deuil d'un enfant à peine entrevu, emporté dans les hoquets quelques heures après sa naissance, et d'un époux qui honorera de sa vigueur des filles galantes dans la pénombre d'une chambre d'auberge ou d'une arrière-salle de cabaret, en échange de quelques pièces ou d'un mouchoir de dentelle.

Ce triste commerce prospère dans les rues et les tavernes, les servantes en parlent entre elles à mi-voix. Et les hommes sont ainsi, à toujours désirer d'autres jardins.

Je ne sais s'il faut mépriser ou plaindre ces créatures. La jeunesse leur tient lieu de talent, et leurs jolies épaules, de trésor. Qu'en sera-t-il de leur pauvre vie, lorsque cela ne sera plus, et que la faim les contraindra à céder leurs faveurs contre une assiette chaude et un verre de vin ?

Peu de temps après, M. De Witte est venu pour exécuter sa commande. À ce moment-là, j'ai décidé que l'on m'y verrait de dos. Car à ne plus être désirée, ai-je encore un visage ?

Le 9 de ce mois de décembre

Il me tarde que cette année s'achève. D'ici peu nous fêterons Noël ; je voudrais assagir mon cœur et mes pensées. Cette fête d'espérance, qui chaque année m'est une joie, me trouve aujourd'hui bien accablée.

La vie ne ressemble pas à l'idée que nous en avions, et il nous appartient de savoir accepter notre sort. Je sais qu'il me reste un long chemin à parcourir pour trouver la paix, et ces propos que je m'efforce de tenir parlent à mon esprit, mais ils n'apaisent ni mon cœur, ni ma chair.

Il en est ainsi qu'à certains moments de notre vie, tout concourt à la vêtir d'épines. Le drame de l'*Amsterdam*, au début de l'été, m'a jeté dans un grand trouble où je me débats aujourd'hui encore.

Après quatre mois de retard sur son arrivée prévue à Rotterdam, il a fallu se résoudre à admettre une réalité que nous appréhendions.

Les témoignages des navires qui ont emprunté la même route après lui, des côtes d'Afrique à celles du Surinam, nous ont contraints d'y faire face. L'*Amsterdam* a fait naufrage au large des côtes d'Afrique, peu après avoir appareillé, pris dans une tempête qui a contraint plusieurs bateaux à différer leur départ, tant il était risqué de prendre la mer à ce moment-là.

À la lumière des rapports établis par des agents de la Compagnie installés sur les côtes d'Afrique, il semble que le capitaine Adriaen Oudermeulen était très pressé de rejoindre le Surinam. Il est parti avec ses cales chargées au-delà du raisonnable. Nul n'a pu l'en dissuader.

Ce sont des hommes que l'*Amsterdam* convoyait à destination des plantations espagnoles d'Amérique.

Je ne sais si cela est juste de transporter des êtres semblables à nous, tels des sacs de noix de muscade ou des tonneaux de cannelle.

Nos voyageurs rapportent qu'en ces endroits, les femmes enfantent de la même façon que nous, dans les cris et dans le sang. Leurs nouveau-nés ressemblent aux nôtres, exception faite de leur couleur, et elles les nourrissent avec grand soin, paraît-il.

Notre gouvernement interdit l'esclavage sur ses propres terres, je ne sais donc pourquoi il le permet ailleurs. Ce qui paraît sensé dans nos Provinces-Unies doit l'être tout autant sous d'autres cieux, me semble-t-il.

De l'équipage, nul survivant. Le *Liefde*, parti peu après l'*Amsterdam*, n'a retrouvé nul canot, nulle pièce flottant encore, tout a coulé par le fond. C'est terrifiant à imaginer.

Pieter est entré dans une grande colère contre le capitaine Oudermeulen. Homme de mer lui-même, il sait qu'on ne joue pas avec le vent et l'eau, ni avec la vie des hommes. L'enquête qu'il a fait mener l'a tristement renseigné.

Nous avons découvert que le capitaine était grand joueur, partout endetté. Pas une taverne, pas un tripot, pas une maison de rendez-vous entre Delft et Rotterdam où il ne doive quantité de florins.

Il recherchait la prime à la vitesse, avec le plus grand profit possible sur la cargaison. Ses coffres personnels, chargés à bord en grand nombre, étaient remplis de quantités étonnantes de pacotille, pour des échanges à son seul profit.

C'est une pratique courante, tous les capitaines cherchent à accroître leurs gains lors d'une expédition, à acquérir et à revendre pour leur compte des rouleaux de soie, d'indienne ou quelques pièces de porcelaine. Pour cela, des centaines de matelots, de soldats et d'esclaves ont perdu la vie. Ce n'est pas digne d'un capitaine.

Je ne sais ce qui a davantage chagriné mon époux, de la perte du navire ou de celle de tous ces êtres, de l'imprudence criminelle du capitaine ou du doute d'avoir agi contre la loi de Dieu, en se mêlant de vendre des hommes, comme ballots de thé ou fèves de cacao.

En cela aussi il me demeure une énigme, et le temps qui passe ne m'aide pas à résoudre le mystère.

De Rotterdam à Delft, des offices ont été dits pour le repos des âmes des noyés. Leurs veuves recevront quelques florins pour prix de leur infortune, car la misère a tôt fait de prendre ses aises.

Elle les réduira à la mendicité avec leurs enfants, ou pire, si elles ne trouvent à se placer comme servantes ou à travailler à la journée. Chacun essaiera de tirer profit de leur malheur en les employant à bon marché. Cet argent représente bien peu, si l'on songe à la peine d'avoir perdu de la sorte un mari, un fils ou un père aimé.

Le 10 de ce mois de décembre

J'ai pu convaincre Pieter, qui, je l'avoue, m'écoute lorsqu'il s'agit des affaires de la Compagnie, de ne point retenter l'aventure du commerce des hommes. Je crois qu'il a vu dans le naufrage de l'*Amsterdam* un signe de désapprobation divine, cela l'effraye. La vertu emprunte parfois de bien étranges chemins…

Depuis que notre ville produit elle-même en abondance faïence et porcelaine peinte, il n'est plus nécessaire de ramener de Chine ce qui est fabriqué ici à meilleur marché.

Quant aux épices qui ont naguère fait notre fortune, trop de gens se mêlent aujourd'hui d'armer des navires pour les aller chercher. À la Bourse d'Amsterdam, la muscade ne valait plus rien le mois passé.

On nous a rapporté qu'en certains lieux des Indes, des quantités considérables de cette épice avaient été brûlées comme chez nous feux de Saint-Jean, faute d'acheteurs.

J'ai l'idée de nous exercer à un autre commerce, celui du thé. C'est une denrée précieuse, dont les médecins disent beaucoup de bien ; elle guérit de nombreux maux, semble-t-il.

Elle permet de préparer cette boisson que l'on veut goûter et offrir aujourd'hui dans toutes les maisons. Le thé est encore rare et se vend à prix d'or, je crois l'heure favorable.

J'espère ne pas me tromper en pariant sur cette nouvelle folie, le sort de notre entreprise est en jeu.

Le 11 de ce mois de décembre

La délégation française de la Compagnie des Indes, nos rivaux sur mer et pour le commerce des objets précieux, a pris congé ce matin. Je tremble encore de l'incident qui vient de se produire ; il me faut vite le confier ici.

Ils voulaient nous rencontrer, inquiets des pertes que leur infligent nos corsaires, comme du nombre de comptoirs que nous installons partout où il se trouve des biens à vendre et à acheter.

L'idée d'une trêve, fût-elle armée, ou d'un accord de commerce, leur est venue. Ils désiraient s'entendre avec nous pour limiter les pertes d'hommes, de vaisseaux, de marchandises et d'argent.

Quatre messieurs sont venus. Nous les avons accueillis avec la plus grande courtoisie, car à dire vrai, leur proposition nous intéressait, bien que nous ne souhaitions pas le leur montrer. Ils ne sont pas aussi bons marins que les Anglais, mais excellents négociateurs, en particulier pour le commerce de la porcelaine, des tissus et de denrées comme le café et le chocolat, dont nos concitoyens sont devenus très friands.

Par trois fois, le temps de leur séjour, nous les avons priés à dîner chez nous, afin de donner une tournure plus agréable à nos échanges d'affaires.

Notre cuisine passe pour médiocre, grossière à côté des raffinements de table que prisent les Français. Nous avons présenté ce que nous avions de mieux, poissons, tourtes, pâtés, volailles, viandes en sauce, tartes, massepains. Pour le reste, j'espère que la bière et l'alcool de genièvre offerts à côté des vins et liqueurs de Porto leur auront suffi.

Je reçois avec plaisir, mais j'avoue passer davantage de temps à arranger les nappes et les assiettes qu'à garnir ces dernières et Pieter craint toujours que nos hôtes repartent affamés. Ils ont pourtant semblé apprécier ce qui leur était offert ; peut-être était-ce là simple politesse de leur part, mais ils m'ont paru sincères.

L'incident qui m'a troublée avait commencé la veille de leur départ. Nous avions échangé des cadeaux à la fin du repas. Ils nous avaient offert des châles de cachemire et un surtout de table en porcelaine, nous leur avions remis, quant à nous, de précieux objets en laque, et organisé à leur intention un de nos concerts familiaux, ce qui sembla les surprendre, et les ravir.

Catherina ouvrit la soirée par une pavane, avec force mouvements de poignets, soupirs et alanguissements qui soulevaient sa gorge. Elle impressionna l'auditoire par le sentiment qu'elle paraissait mettre dans son jeu. Comme toujours avec elle, l'illusion était parfaite.

J'offris quant à moi une aria et ses variations. C'est un genre que j'affectionne, car j'aime à retrouver sous le flot des notes l'air initial, à la fois méconnaissable, travesti et pourtant présent.

Je n'aime pas jouer en public, je crains toujours que mes doigts me trahissent ou que les auditeurs s'impatientent, mais Pieter m'en avait priée, car il aimait cet air varié que je n'avais pas joué depuis longtemps.

Puis ce fut le tour d'Elisabeth. Elle chanta, en l'honneur de nos hôtes, une pastorale d'un maître français, Jean-Baptiste Lully, puis un air de son ballet de cour *La Princesse d'Élide*. Son frère Samuel avait accepté pour l'occasion de l'accompagner au clavecin, ce qui n'était pas son habitude.

Dès les premières notes, le visage du marquis d'Ambert, le plus âgé de nos invités, sembla se figer, penché en avant dans une écoute tendue. Dès qu'Elisabeth eut fini son air, un long silence suivit, que personne ne semblait vouloir rompre. Nous entendîmes un bruit de verre brisé, et un cri étouffé. Le marquis avait tant serré son verre de rafraîchissement dans sa main que celui-ci s'était rompu.

Il saignait beaucoup, je fis vite débarrasser les morceaux et laver le sol. Je le priais de me suivre jusqu'à notre cabinet de toilette, où je me fis apporter de l'eau pour nettoyer sa blessure et son vêtement. Je bandais sa main, la blessure était heureusement assez légère et les éclats de cristal n'étaient pas demeurés dans les chairs. Il était très pâle et me remercia à peine.

De retour au salon de musique, il pria la compagnie d'excuser sa maladresse avec un rire qui sonnait terriblement faux. Il s'approcha de la jeune chanteuse, lui prit les mains et l'embrassa sur le front sans un mot. Il paraissait très ému. Ses compagnons applaudirent longuement. La malheureuse Elisabeth semblait très gênée de ce qu'elle venait de provoquer ; je dus venir à son aide en proposant de nouveaux rafraîchissements et une collation d'après dînée.

On félicita à nouveau les deux jeunes filles et leur frère. Pieter me regardait avec une douceur que je ne lui avais pas connue depuis longtemps. Le marquis d'Ambert restait en retrait. Il regardait Elisabeth avec une insistance inquiétante. Puis tous prirent congé, et promirent de venir nous saluer à nouveau avant leur départ.

Ils revinrent en effet dans la matinée, en habits de voyage, heureux du compromis de paix que nous avions conclu avec eux. Pieter leur offrit quelques bouteilles du genièvre qu'ils paraissaient avoir apprécié la veille. Le marquis d'Ambert se tourna vers moi pour me demander si je l'autorisais à remettre un modeste présent à Elisabeth.

Je lui en accordai la permission et il posa dans sa main un petit sac de satin grenat, dont elle sortit un charmant médaillon en or serti de fines émeraudes, passé dans un ruban de velours. *Il me vient de ma mère, je ne m'en suis jamais séparé. C'est peu de chose au regard du bonheur que vous m'avez donné hier, mademoiselle. Vous possédez et la grâce et le talent. Que cela vous reste aussi longtemps que Dieu vous prêtera vie.*

Soyez heureuse que je ne sois plus en âge de chercher une épouse, car j'aurais déjà demandé votre main, puis je vous aurais enfermée, afin que vous ne chantiez que pour moi. Je suis déchiré à l'idée de ne plus jamais vous entendre. Que ce bijou soit le gage de mon admiration, et de mes regrets.

Il prononça ces mots avec gravité, en la fixant avec douleur, comme pour graver ses traits à jamais dans sa mémoire. Puis il sortit, suivi de ses trois compagnons et de Pieter qui les accompagna à leur carrosse.

Je frissonnai, comme si nous venions tous d'échapper à un grand danger. Elisabeth, stupéfaite, tenait le bijou à la main sans même songer à le porter à son cou. Catherina, le nez pincé, remonta sans un mot dans sa chambre dans un bruissement de jupes qu'elle voulut éloquent. Guérira-t-elle un jour de sa jalousie ?

Ma main tremble en écrivant cette scène. C'est assez pour ce soir.

Le 14 de ce mois de décembre

Willemina Van Osterwijk, l'épouse de Frederik Van Osterwijk, le tailleur, est venue me voir hier. C'est une femme douce, dont la compagnie m'est toujours agréable.

Elle se montrait très satisfaite, comme Rébecca, de son portrait que M. Vermeer vient de finir, et m'engageait à venir le voir chez elle. Elle me dit avoir posé dans une casaque de satin jaune bordée d'hermine, affairée à écrire une lettre à sa table.

Il s'agit là, dit-elle, d'une nouvelle manière du peintre, qui fait des tableaux où la lumière qui descend sur les visages leur donne une grâce étonnante.

Si cela est vrai, et j'irai en juger par moi-même, je demanderai à M. Vermeer de venir peindre Elisabeth et Catherina lorsqu'elles jouent de la musique ensemble.

Elles se tiendront dans le salon qui accueille nos concerts familiaux, près du clavecin que Pieter m'a offert pour remplacer la petite épinette de ma chambre. Je ne puis me résoudre à m'en défaire, en dépit de mon plaisir à jouer sur cet instrument que M. Ruckers, le facteur d'Anvers, a fabriqué pour nous. Sa sonorité et son ornementation m'enchantent, avec son paysage peint sur le couvercle, et la cime des arbres qui s'agite sous un ciel d'orage. Et plus que jamais, ces nuages sombres sont à l'unisson avec mon cœur.

J'ai un vœu secret pour ce tableau, qui me fait honte à avouer, tant il est peu convenable. Mais la vie est ainsi, elle recèle quantité de portes secrètes dont on ne soupçonne point l'existence, tant que nul événement ne vient y frapper.

On se découvre alors un visage bien surprenant que l'on peine à accepter comme sien, tant il diffère de celui que l'on montre d'ordinaire, auquel chacun est accoutumé.

Je voudrais que Nicolaes Brouwer figure sur ce tableau. C'est notre maître de musique. Il sera peint de dos, tant il serait peu décent qu'on reconnaisse son visage.

La plume me pèse d'un seul coup. Il faudra pourtant bien que je m'acquitte de cet aveu.

Le 15 de ce mois de décembre

Depuis deux années, Nicolaes vient à la maison chaque semaine. Il aide Elisabeth à travailler sa voix, et me donne de précieux conseils que je m'applique à suivre. C'est un garçon attentif à qui lui parle, mais distrait dans la conduite de ses affaires. Il n'est pas de leçon où il n'oublie quelque feuille de musique, ou son manteau, ou son chapeau. Il ne s'aperçoit pas qu'il pleut, ou qu'il neige. Plus d'une fois, la vieille Geertje a dû courir dans la rue pour lui rendre son bien. À le voir accepter avec une telle reconnaissance les collations que nous lui faisons servir, je crois bien qu'il oublie aussi de se nourrir.

La musique semble être toute sa vie. Il compose lui-même de belles pièces, et tient l'orgue de l'Oude Kerk, lors du grand office du dimanche. Chacun s'y presse désormais pour venir l'entendre. Je lui prédis un bel avenir, car il possède un réel talent.

Lorsqu'il s'est présenté chez nous, sur le conseil de son professeur, qui fut le mien il y a longtemps, il revenait d'Italie, où il était allé découvrir les façons de composer des grands maîtres de ce pays.

Elles sont, nous a-t-il dit, très différentes des nôtres. La voix y tient la meilleure place, et lorsque personne ne chante, ce sont les violons qui s'appliquent à reproduire la voix humaine.

À parler de Venise, de fêtes, de bals, de costumes, de promenades aux flambeaux sur les canaux, de la lumière du ciel, de concerts dans des églises semblables à des palais, il nous a fait rêver. Il en a rapporté quantité de musiques qu'il nous donne à jouer, avec des mélodies et des ornements qui nous éblouissent.

Lorsque vient le jour de la leçon, je me surprends à soigner ma coiffure, à me vêtir d'une jupe claire et d'un caraco seyant, à frictionner mes mains avec de la pommade. Il me semble qu'ainsi, mes veines paraissent moins saillantes quand je joue.

C'est ridicule, je le sais. C'est sottise que de penser lui plaire, péché d'orgueil et de convoitise. Je porte le nom d'une grande pécheresse, et devrais veiller à ne pas me conduire de la sorte. Mais Nicolaes me trouble. C'est ainsi.

Lorsque sa main s'approche de la mienne pour me corriger, me montrer comment jouer un trait délicat, ou la meilleure façon de placer les doigts dans une mesure difficile, je suis au supplice. Bien souvent, je dois interrompre la leçon, faire semblant de devoir m'affairer dans la plus grande urgence à une quelconque tâche, le temps que la fièvre quitte mon visage, et que ma voix retrouve son ton habituel.

Je me demande s'il s'est aperçu de mon embarras. Il doit alors trouver mon attitude bien insensée, et inconvenante.

Il semble ignorer ma folie, ou vouloir l'ignorer. Cette attitude est sage. Que ferais-je si sa main venait à se poser sur la mienne, et ses yeux s'attarder dans les miens ? J'en serais, je crois, changée sur place en statue de sel, partageant là aussitôt le sort de la femme de Loth !

Il me faudrait alors le prier de ne plus se présenter sous notre toit. Et à cela, je ne saurais me résoudre. En dépit de la confusion qui m'envahit en sa présence, je désire de tout mon être qu'il continue à venir chez nous.

Il n'a d'yeux que pour ma tendre Elisabeth. À dix pas, cela se voit. Il me semble qu'elle éprouve pour lui semblable inclinaison. Il la regarde avec une douceur qui me serre la gorge. Leur trouble me fait frissonner et je me sens alors très vieille, et très sotte.

J'ai trente-six ans, mon âge devrait suffire à me faire entendre raison, mais le cœur conserve des élans qu'il est douloureux de taire. Qu'ils soient impudiques, et inconvenants ne suffit pas à les faire disparaître, comme on retire un brin d'herbe sur un vêtement. Il m'appartient seulement de les tenir à bonne distance ; j'y emploie toute ma volonté, c'est là une tâche de chaque instant.

Mes yeux se troublent, je n'ai pas la force de continuer, il le faudra pourtant.

Le 16 de ce mois de décembre

Je ne sais si je dois encourager les sentiments d'Elisabeth et de Nicolaes. Il est sans fortune, et je crains que Pieter n'accepte pas de donner sa fille cadette à un simple maître de musique. L'idée qu'il puisse le chasser comme un domestique pris à voler me terrifie.

Nicolaes est une âme sensible, et je ne doute pas de la sincérité de ses sentiments. Il regarde Elisabeth d'une façon qui toucherait le cœur du plus endurci des êtres. En leur présence, je devine des contrées dont l'abord m'a été refusé, et je suis à jamais bannie de leurs rives désormais.

Je ne me souviens pas avoir croisé un tel regard chez Pieter, fût-ce au temps de nos fiançailles.

Cette pensée me poignarde. Lorsque je les vois tous deux perdus dans leurs regards et dans leur musique, oublieux de ce qui les entoure, je sais que j'ai été privée de ce que la vie peut offrir de plus tendre.

Je ne veux que le bonheur de ma douce Elisabeth et dois cesser de me montrer insensée. Je trouverai le courage de parler à Pieter. Il aime tendrement sa fille cadette, dont la voix d'ange l'atteint au plus profond de lui-même, je le sais.

Ne l'ai-je pas surpris un jour, à la porte de la chambre de sa fille, un long moment arrêté à l'écouter, puis descendre l'escalier à pas de loup, afin qu'elle n'en sache rien ?

Il me reprochera, cela est probable, d'encourager une mésalliance. Aurai-je le cœur de lui rappeler qu'il était lui-même jeune capitaine sans fortune, riche des seules promesses de son âge et de son tempérament, lorsque mon père a consenti à notre mariage ?

Ce serait cruel, et peu charitable de ma part de lui rappeler cette vérité, mais je ne peux concevoir qu'il l'ait oubliée. Je serais peinée de faire surgir entre nous une telle pomme de discorde, car si je ne suis plus son épouse par la chair, du moins voudrais-je me garder de devenir son ennemie.

Il me faudra le rassurer. Nicolaes fera son chemin avec sa musique, j'en suis certaine. Il est artiste, mais pas danseur de corde, et tout le monde ne peut vivre pour le négoce ou la marine. Nous possédons assez pour que nos enfants ne manquent de rien. Cela suffit.

Avant Noël, si Dieu veut, le *Jonker* arrivera à Rotterdam avec des soieries du Japon et des laques de la côte de Coromandel. Dans ces moments de liesse, Pieter se montre bienveillant envers tous, et sait entendre ce qu'on lui dit.

Je me réjouis de bientôt l'y accompagner. Je crains que ce soit là un des seuls plaisirs qui me restent. La mer et les navires me demeurent chers, et avivent mes plus doux souvenirs.

Songerait-on que dans ces moments-là, c'est la jeune Magda Van Leeuwenbroek qui revit ? Car c'est elle, et elle seule, qui est là, en jupe courte et bonnet d'enfant, les yeux brillants et les joues rouges, la main dans celle de son père, à enjamber en riant les rouleaux de cordages et à demander le nom de chaque mât.

Avec le temps, ce sont nos joies d'enfant que nous convoquons le plus facilement dans nos souvenirs, elles nous accompagnent avec une rare fidélité. Retrouver ce que nous avons éprouvé dans ces moments demeure une source de félicité que nul ne pourra nous ravir. Le cours de nos vies est semé de pierres qui nous font trébucher, et de certitudes qui s'amenuisent. Nous ne possédons que l'amour qui nous a été donné, et jamais repris.

Je dois m'interrompre. On a frappé à la porte de la rue. C'est Nicolaes. J'entends le pas léger d'Elisabeth dans l'escalier. Elle a devancé Sarah, et ouvert la porte elle-même. Je devrais la gronder et lui rappeler les manières, mais je n'en ai pas le cœur.

Déjà leurs rires me parviennent. Elle chante, il joue. Je descendrai plus tard.

Table des matières

9857

Composition
NORD COMPO

Achevé d'imprimer en Espagne
par BLACK PRINT CPI
le 25 janvier 2013
1er dépôt légal dans la collection : janvier 2011.
EAN 9782290039014

ÉDITIONS J'AI LU
87, quai Panhard-et-Levassor, 75013 Paris

Diffusion France et étranger : Flammarion